papillon

bâton

punaise

filet à papillons

fleurs

fourmi

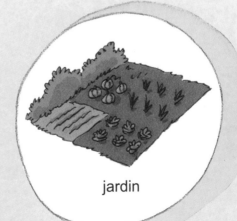

jardin

Le devoir d'école

Sourimousse est une intelligente

qui aime écrire et dessiner dans

ses avec des .

Sourimousse ne mange pas de

ni de . Elle n'a pas faim, car

elle a un devoir : apporter un petit

animal du  .

Quel animal choisir ? «Une  ,
c'est trop petit, un , c'est pas
beau, et un , pas comique!

C'est un  qu'il me faut!»

s'écrie-t-elle.

Mais Sourimousse

n'a pas de .

«Je peux en bricoler un», se dit Sourimousse. Elle ajuste un  au bout d'un et le fixe avec deux .

Cachée derrière un ,

Sourimousse attend qu'une

attire un .

Enfin, en voilà un qui se pose sur une

 . Sourimousse bondit et attrape

l'insecte avec son .

Elle le dépose dans un fermé par une feuille de papier. Sourimousse perce le papier de petits pour que le  respire.

«Quand le  ouvre les 🦋🦋, on dirait des 👀 de 🦉 !» s'exclame Sourimousse.

Sourimousse, son au et son dans les , demande à sa maman: « Que mangent les ? »

«Ils mangent le  des , mais

certains ne mangent pas, car ils ne

vivent que quelques jours»,

répond sa maman.

«Que quelques jours...», se répète

Sourimousse. D'un geste, elle libère le

 ! «Vis ta courte vie, tu seras

mieux parmi les !» s'écrie-t-elle.

En classe, Sourimousse s'assied au

dernier  près du  .

Que va dire son ?

Elle n'a pas son devoir!

Ses amis ont déposé sur une

une , des , une et un .

Seule Sourimousse n'a rien à montrer.

«Et toi, Sourimousse, ton est vide, ton animal s'est échappé?» demande l'  .

« "Les animaux sont plus heureux dans la nature!" a dit l'  . Elle m'a donné un autre devoir: dessiner un !»

confie Sourimousse à papa en riant...